日本語 英語 フランス語

たのしく うたおう♪

動画もあるよ♪

YouTube

わたしの ピアノ練習帳

グレードアップ版

JN013723

末高明美

ハンナ

ようこそ、〈わたしのピアノ練習帳〉へ

末高明美

ピアノを始めるあなたへ

この楽譜は、ピアノを始めるあなたに、「自分で勉強するピアノの本として使ってもらいたい。」という願いをこめて、名付けました。あなたの宝物にしてください。

「ピアノがひけるとかっこいいし、楽しそう。でも、ピアノの前には〈楽譜〉という大きな〈かべ〉があって大変」

「だいじょうぶ！」まずYouTube（ショパンハンナチャンネル）の音楽を聞いてください。
歌を覚えてしまえば、もう〈かべ〉はどこかに消えてしまいます。
あなたの「指」が「耳」をもっているみたいに、ピアノをひくことができます。

ショパンハンナチャンネル 🔍

先生とご両親へ

メトードローズに代表される、フランスの子供のピアノ教則本は、この20年で大きく変わりました。
〈聞くこと〉を重視し、古典から近代までの曲を並べ、音の響きの変化で、子供たちの興味を引く工夫がされています。
そんな「現代のフランス流ピアノ学習」を取り入れ、日本の子供たちに親しみやすい曲を集めた教則本を作りました。
小さい子供たちは、歌や手遊びが大好きです。YouTubeの音楽を繰り返し聞きながら、練習を進めてください。
歌の曲では、一緒に大きな声で歌ってあげてください。
外国語の発音にも親しめるように、**英語やフランス語の言葉**でも歌いましょう。
〈音を聞く〉〈楽譜を読む〉〈ピアノを弾く〉という演奏のために大切な3つの力が、この教則本を通じて、自然に身につくことを願っています。同時に音楽理論も各所に入れています。速度を表すことば（P.54）は猫のイラストで音楽用語（イタリア語）を表したものです。ご覧ください。
この出版にあたり、子供のピアノ指導に長年関わってこられた小島道代さん、作曲家の市川景之さんと久木山直さん、仏チェンバリストのジョスリーヌ・キュイエさん、表紙や各曲にイラストを描いてくれたギタリストの福山敦子さんに多大なご協力をいただきました。心よりお礼申し上げます。

使い方

1. 新しい曲を練習する時は、まずYouTubeの音楽（Step1〜4）の速いテンポを何回も聞き、歌ってメロディーを覚えましょう。次に、おそいテンポに合わせて、ピアノでひきましょう。ピアノ演奏動画（Step5）では小学1年生3人と年長1人の子供達4人が弾いています。参考にしてください。
2. 各ステップに〈レパートリー〉と〈れんだん〉が付いていますので、1つの区切りとして、子供たちは発表会のような気分で、レッスンや家で、ご両親やおともだちの前でひきましょう。
3. ステップ1・ステップ2はバイエル上巻No.1〜No.7、ステップ 3・ステップ4はNo.8〜No.31、ステップ5はNo.32 〜 No.43程度のレベルです。年長〜小3の生徒を対象としています。

 YouTubeの音楽に合わせて
先生といっしょに歌いましょう

 先生へ

 先生に聞いてみましょう

 音楽の知識を学びます

けんばんと音の名前（音名）

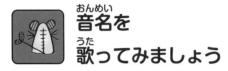

音名を
歌ってみましょう

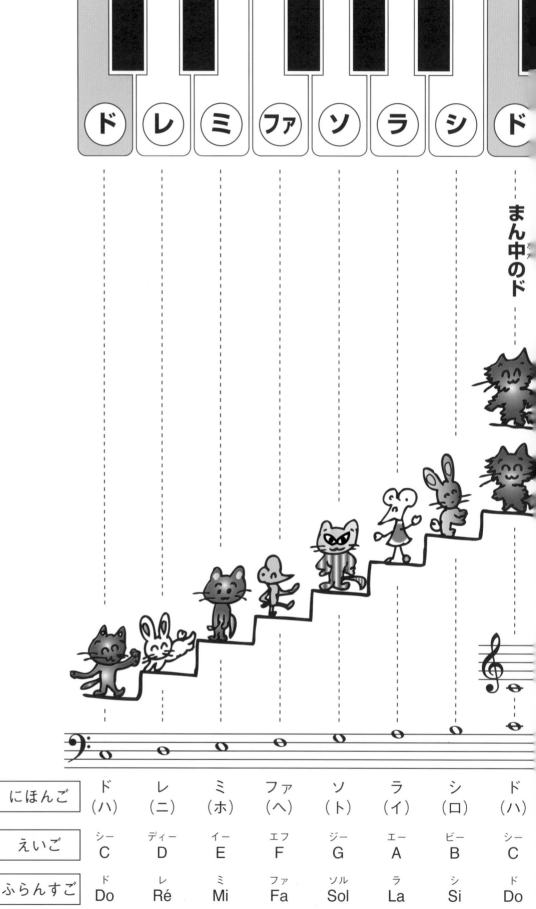

	ド	レ	ミ	ファ	ソ	ラ	シ	ド
にほんご	（ハ）	（ニ）	（ホ）	（ヘ）	（ト）	（イ）	（ロ）	（ハ）
えいご	C	D	E	F	G	A	B	C
ふらんすご	Do	Ré	Mi	Fa	Sol	La	Si	Do

先生へ

①まん中のドを覚えます。𝄞（ト音記号）のまん中のドから上（右）へ、「ドレミファソラシド」と音名を歌います。

②𝄞（ト音記号）のドの音が、𝄢（ヘ音記号）のドと同じことを認識させ、下（左）へ、「ドシラソファミレド」と音名を歌います。

レ	ミ	ファ	ソ	ラ	シ	ド
（ニ）	（ホ）	（ヘ）	（ト）	（イ）	（ロ）	（ハ）

ディー	イー	エフ	ジー	エー	ビー	シー
D	E	F	G	A	B	C

レ	ミ	ファ	ソル	ラ	シ	ド
Ré	Mi	Fa	Sol	La	Si	Do

両手の指番号

 いろいろな指で打ってみましょう

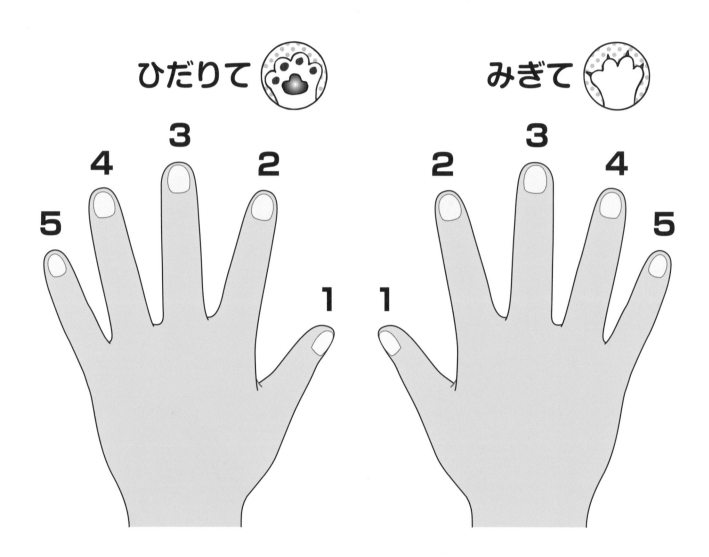

 先生へ

指番号と、指の独立を覚えるゲームです。

①P.6では予備練習として、生徒は左右の手を絵の上にのせます。先生の指示で1から5までの指を順番にあげましょう。(例：右手1、左手3)

②P.7ではYouTubeの音楽に合わせて、最初の8小節は、①①① 休み｜②②② 休みと同じ指で楽譜の上を3回たたきます。4小節の間奏の後、次の8小節は、①ト②ト｜③ト休みと2小節で3本の指をかえます。右手、左手の順で行います。

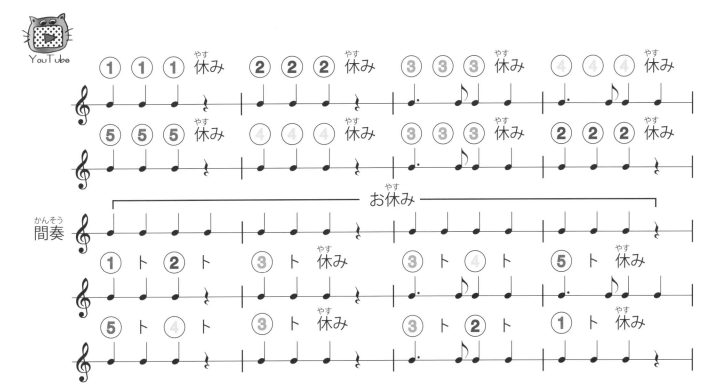

STEP 1

先生に右下の四角のわくの中の記号について聞いてみましょう

1）まん中のド

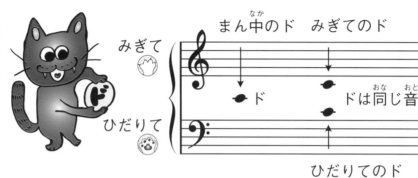

まん中のド　みぎてのド

ド　　　ド は同じ音

ひだりてのド

先生といっしょに歌いましょう

1. だれかさん

YouTube　♩=84−104

とおんきごう

へおんきごう

トン　トン　トン（ポン）　トン　トン　トン（ポン）　だ　れか　さん　が　い　ます　か（ポン）

2. みぎてとひだりて

YouTube　♩=84−104

♩ = ♪

しぶおんぷ＝しぶきゅうふ

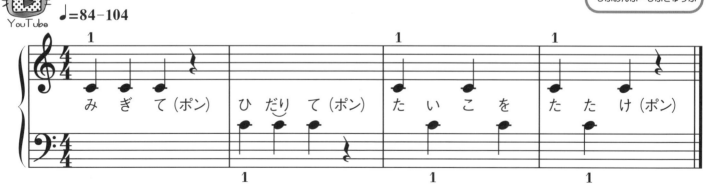

み　ぎ　て（ポン）　ひ　だり　て（ポン）　た　い　こ　を　た　た　け（ポン）

8

3. たいこ

♩=84–104

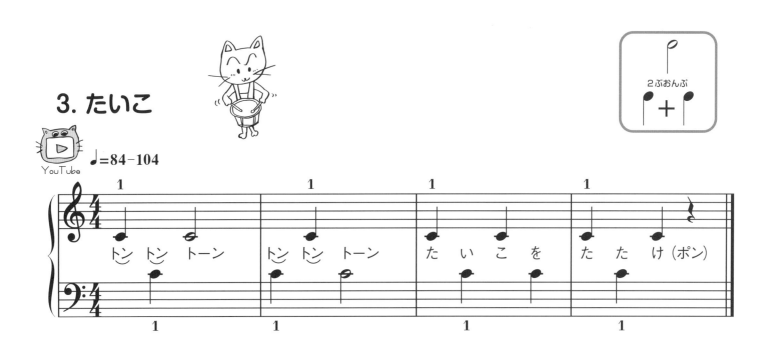

トン トン トーン
トン トン トーン
た い こ を
た た け (ポン)

2ぶおんぷ

4. わたしのて

♩=84–104

くりかえしきごう

※歌いながら

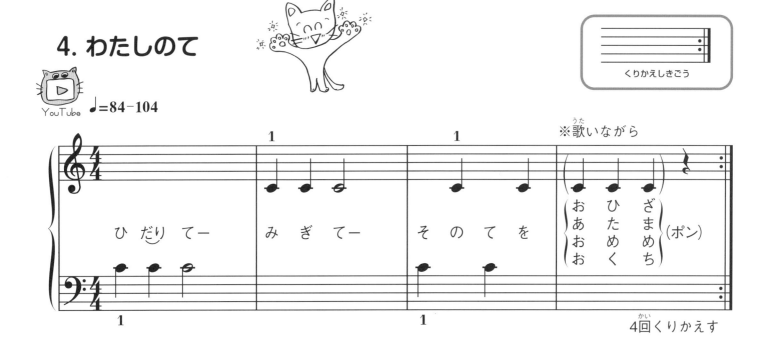

ひ だり てー
み ぎ てー
そ の て を
おあおお ひためく ざまめち (ポン)

4回くりかえす

先生へ

①どの曲も 𝄞（ト音記号）のパートは右手で、𝄢（ヘ音記号）のパートは左手で、右手の1の指、左手の
1の指を使って弾きます。2分音符は長く押さえます。

②「4.わたしのて」の4小節目では、歌いながら言葉に合わせ、両手を身体の部分に当てます。

2) メロディーをひいてみましょう
・2本指のメロディー

5. ありさんのさんぽ

♩=84-120

あり さん の　さん ぽー　ジグ ザグ ジク ザグ　ある くー

6. あるこう

♩=84-120

ジグ ザグ ジグ ザグ　ある こーう　げん きに　すす めー

7. ふたりでダンス

♩=84-120

いっ しょに　おど ろーう　ふた りで　ダン スー

10

・3本指のメロディー

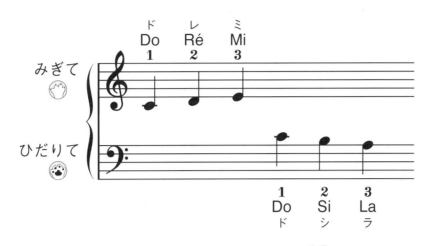

8. メリーさんのひつじ

♩=84−100

アメリカのうた

9. チューリップ

♩=84−120

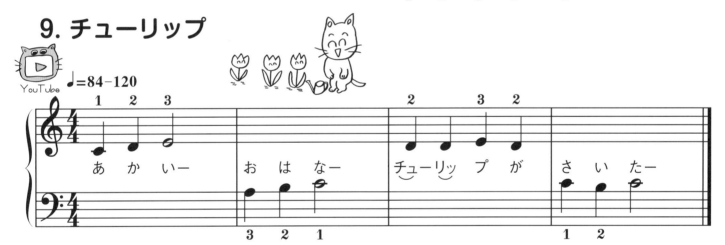

10. くるりとまわって

♩=84−120

11

・4本指のメロディー

11. 小さなむし

12. かくれんぼ

$$C = \frac{4}{4}$$

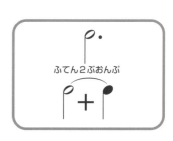

13. ビッグベンのかね

♩=78-98

イギリスのうた

きん こん かん こーん きこえ るー

おやつ のー かねだ よー

14. かごめかごめ

♩=78-98

わらべうた

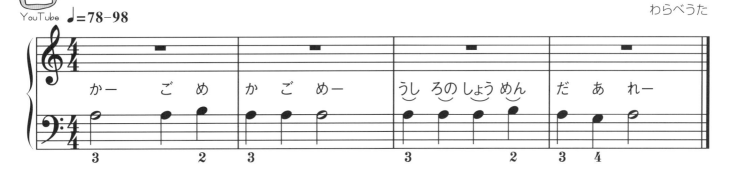

かー ごめ かごめー うしろのしょうめん だあれー

3) レガートとノンレガート

15. きらきらぼし
Twinkle, Twinkle, Little Star
Allegretto ♩=88−114

えいごのうた

1. き ら き ら ほ し よー
2. Twin - kle, twin - kle, lit - tle star,

お そ ら に ひ か る
How I won - der what you are.

16. つきのひかり
Au clair de la Lune
Andantino ♩=120−160

ふらんすごのうた

オ ー クレ ド ゥラ リュン ヌ お つ き さ だ まー
Au clair de la lu - ne き れ い な

Fine
フィーネ
おわり

ぼ く の も とー をー てらして ねー

D.C.
ダ・カーポ
最初に戻る

先生へ
① 〈レガート〉は、手の重さでつなげてなめらかに弾くことです。弧（⌒）を付けて表します。

② 〈ノンレガート〉は、音を切って弾くことで、ここでは同じ音を弾く場合です。

レパートリー

17. ハッピーバースデイ
ハッピー バースデイ
Happy Birthday

えいごのうた

*P.55「おたんじょう日プレゼントのえをかこう」をみてください。

18. ママ 小さなふね
マ モン レ プティ バトー
Maman les p'tits bateaux

ふらんすごのうた

♭
フラット

15

れんだん

19. ひげじいさん

Allegro moderato
♩=100–120

わらべうた

1. とん とん とん とん　ひげじいさん　とん とん とん とん　こぶじいさん
2. ド ド ド ド　どれみのど　レ レ レ レ　れもんのれ

とん とん とん とん　てんぐさん　とん とん とん とん　めがねさん
ミ ミ ミ ミ　みんなのみ　ファ ファ ファ ファ　ファンファーレ

とん とん とん とん　てはうえに　きら きら きら きら　てはおひざ
ソ ソ ソ ソ　そこぬけた　ソ ファ ミ レ　ド シ ラ シ ド

先生へ

「19. ひげじいさん」で、生徒は *8va* ┈┈┈┈ 1オクターブ上で弾きます。偶数の小節は、生徒は弾かずに歌います。慣れてきたら、先生のパートの偶数の小節右手部分も生徒が弾きます。12小節目は左手で弾きます。

れんだん

20. かえるのうた

ドイツのうた

かえるの うたが

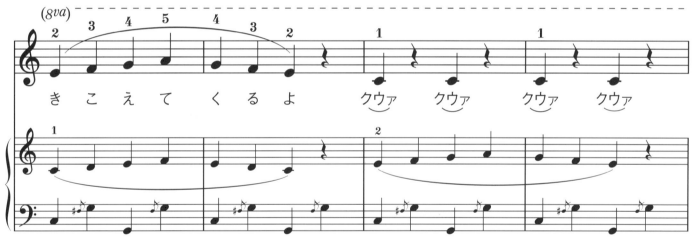

きこえて くるよ　クゥァ　クゥァ　クゥァ　クゥァ

ケロ ケロ ケロ ケロ　クゥァクゥァクゥァ

STEP 2 （ステップ） 1）両手でひいてみましょう （りょうて）

ドのポリフォニー

音を読んでみましょう （おと・よ）
（ド・レ・ミ・ファ・ソ）

21. ピアノのおけいこ

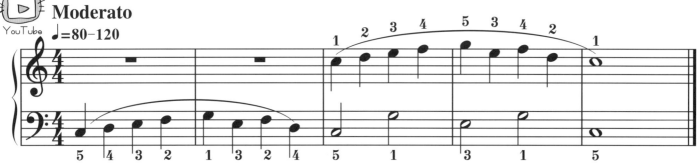

Moderato ♩=80–120

22. ドレミのおうち

Moderato ♩=86–120

mp どれみの おうち どこにあ るー

ふたつの おやまの まえにあ るー

先生へ
STEP2から両手の練習が始まります。〈ポリフォニー〉とは、複数の独立した声部（パート）からなる音楽のことで、一つの声部だけの〈モノフォニー〉の対義語です。

23. こびとのマーチ

バイエル
（1806 ～ 1863）

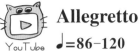

Allegretto
♩=86-120

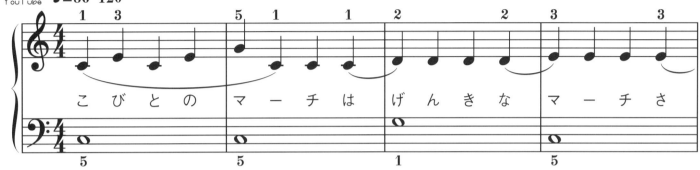

こ び と の　マ ー チ は　げ ん き な　マ ー チ さ

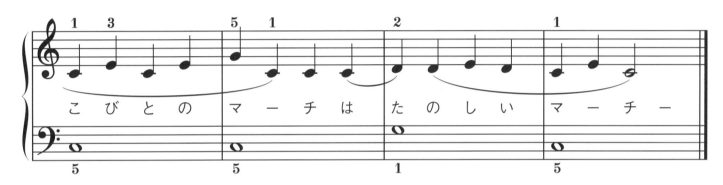

こ び と の　マ ー チ は　た の し い　マ ー チ ー

24. れんしゅうきょく

Moderato
♩=88-120

バイエル

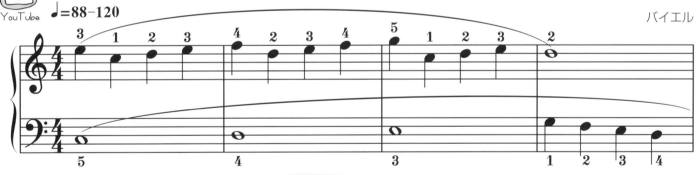

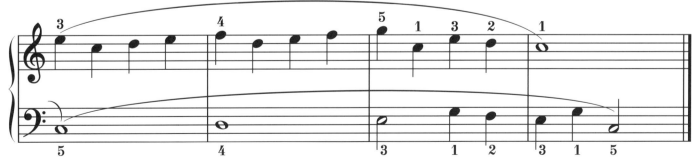

2) 両手でひいてみましょう

ソのポリフォニー

音を読んでみましょう（ソ・ラ・シ・ド・レ）

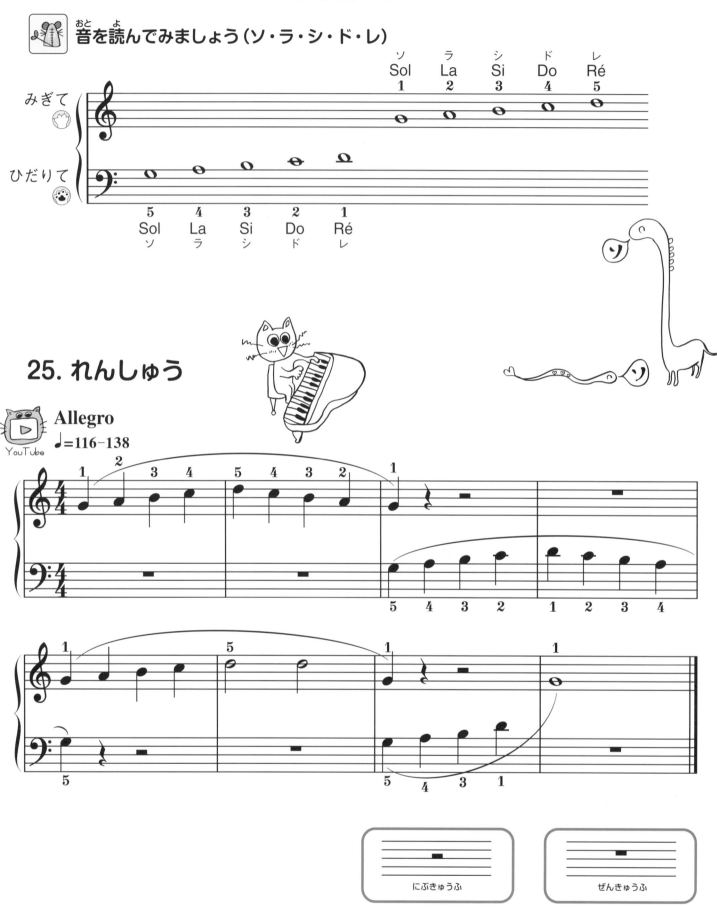

25. れんしゅう

Allegro
♩=116–138

にぶきゅうふ

ぜんきゅうふ

26. たのしくね

YouTube

Allegro
♩=88-138

みんなで　うたおう　たのしく　ねー

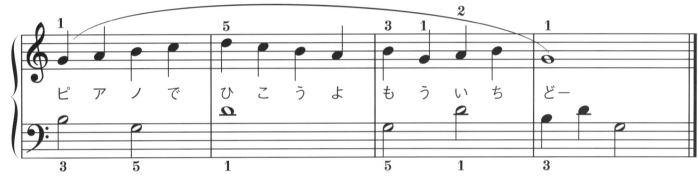

ピアノで　ひこうよ　もういち　どー

27. みんよう

フェルマータ

ケーラー
(1820～1886)

YouTube

Moderato
♩=88-120

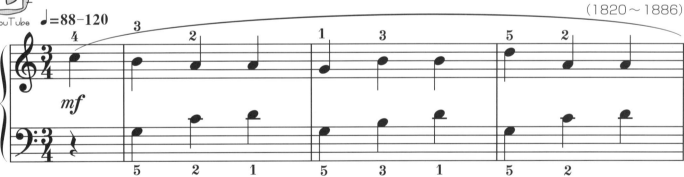

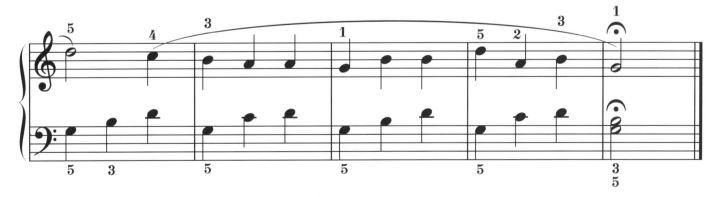

3) レガートとスタッカート

レガートとスタッカートの
ひき方（かた）について先生（せんせい）に聞（き）い
てみましょう

レガート
（スラー）　　おとをつなげる

スタッカート　　おとをきる

28.いなかのにわ

♩=98-132

mf みぎてで　わんわんわん　ひだりて　めぇー　めぇー

りょうてで　ぴょんぴょんぴょん　うたって　こけこっこー

先生へ
①〈レガート〉は隣り合う２つの音を途切れさせずに弾くことで、〈スラー〉はいくつかの音符を弧でく
くり滑らかに演奏することです。
②〈スタッカート〉はP.14で学習した〈ノンレガート〉と同じく音を切って弾くことです。
手はボールを打つ時のように、やわらかく弾みます。

レパートリー

ふてんしぷおんぷ

31. よろこびの歌

YouTube

Allegro moderato
♩=86-120

ベートーヴェン
(1770～1827)

f はれたよ　あおぞら　ただよう　くもよー

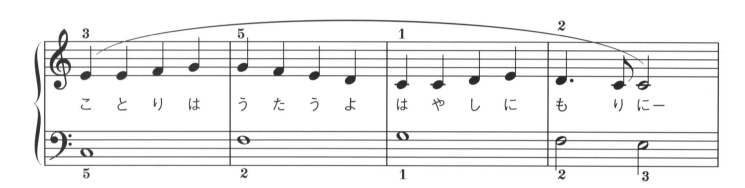

ことりは　うたうよ　はやしに　もりにー

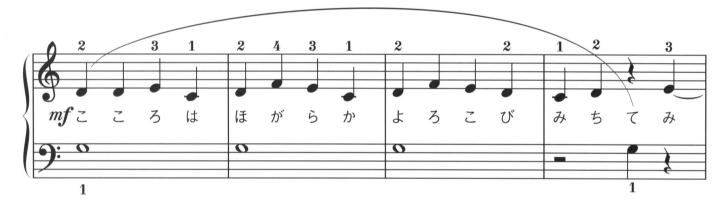

mf こころは　ほがらか　よろこび　みちてみ

f ーんなで　いっしょに　あかるい　えがおー

1）両手の独立
りょうて　どくりつ

33. れんしゅう

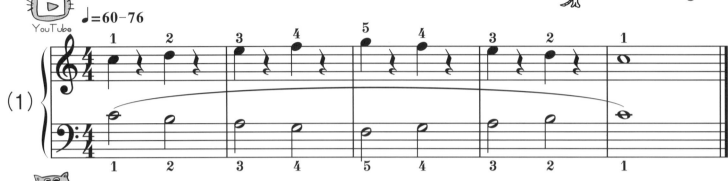

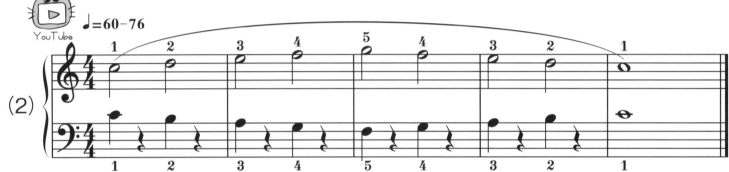

ひいてみましょう

34. よろこびの歌
うた

ベートーヴェン

先生へ

① 〈両手の独立〉は、ピアノの練習で特に大切なことで、導入の段階で取り組む必要があります。

②「33、34」の曲は、左手と右手の音の長さの違いを聞き分けることが目的です。

35. ちょうちょう

Allegretto
♩=78–112

みんよう

歌詞（1段目）：ちょうちょ　ちょうちょ　なのはに　とまれ　*mp*

歌詞（2段目）：なのはに　あきたら　さくらに　とまれ

歌詞（3段目）：さくらの　はなの　はなから　はなへ　*p*　*mf*

歌詞（4段目）：とまれよ　あそべよ　あそべよ　とまれー　*f*

 先生へ

① *f*（フォルテ）では、音は常に美しい響きで弾くことを心がけてください。

② *p*（ピアノ）では、小さい音でも歌うことを忘れずに弾いてください。

2) 2音の和音

 2音の和音のひきかたについて先生に聞いてみましょう

 ひいてみましょう

36. やすみじかん

♩=66-80
YouTube

mp

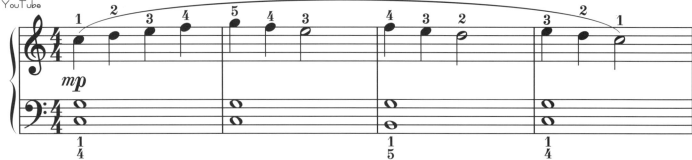

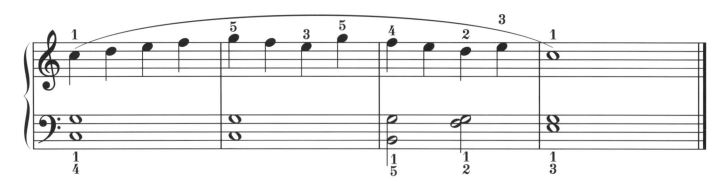

 先生へ

①〈和音〉とは2つ以上の音を同時に弾くことです。手を丸くして鍵盤にのせ、指を少し緊張させます。(写真) 手首を柔らかくして弾きましょう。

②「36. やすみじかん」で右手のメロディーはレガートに、左手の和音が変わる時は、軽く移動してください。

37. はちがとぶ

Allegro
♩=120−160

みんよう

ぶん　ぶん　ぶーん　はちがとぶー

おいけの　まわりに　おはなが　さいたよ

Fine
フィーネ

D.C.
ダ・カーポ

38. むかしのうた

Moderato
♩=80−120

グルリット
（1820〜1901）

rit.　*a tempo*
リタルダンド　ア・テンポ

3) ♯ シャープと ♭ フラット

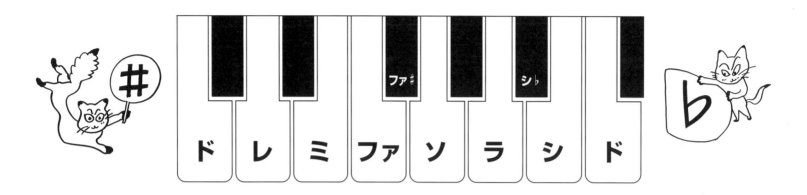

🐭 ファ♯とシ♭の音をピアノのけんばんで見つけましょう

> ♯ シャープ　音を半音上げます
>
> ♭ フラット　音を半音下げます

39. シャープのうた

♩=112−120

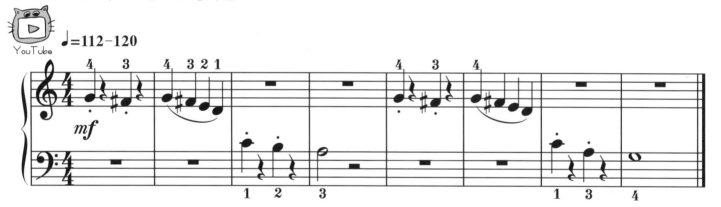

40. フラットのうた

♩=112−126

30

31

4）両手の交かん

43.ロンドンばし
ロンドン ブリッジ
London Bridge

Allegro ♩=80–138

えいごのうた

(1) *mf*
ロンドン ばし
フォー リングダウン fall - ing down
フォー リングダウン fall - ing down
フォー リングダウン fall - ing down

ロンドン ばし
おちる
どーう しー
よーうー

テヌート

♩=72–120

(2)

先生へ
「43. ロンドンばし」(1)の左手、(2)の右手は鐘をイメージして弾きます。

テヌートのついた音（♩）を響かせて弾いてください。

44. 小さなこもりうた
Fait dodo

Allegretto
♩=112-138

ふらんすごのうた

フェー ドー ドー
Fait do - do わたしのお とうー と

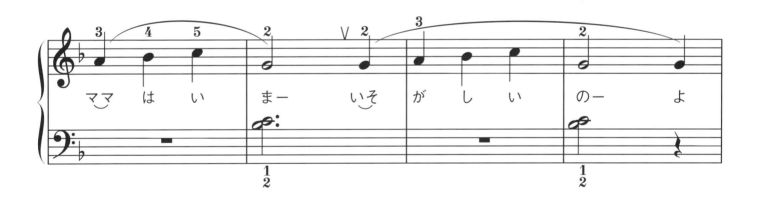

フェー ドー ドー
Fait do - do おねむり よー

ママ は い まー いそ が し い のー よ

フェー ドー ドー
Fait do - do わた しが マ マー

33

45. きよしこの夜
よる
Silent Night

えいごのうた

YouTube

Andante
♩=84–104

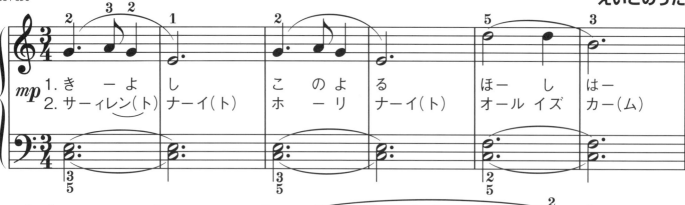

mp
1. き ― よ ― し　こ の よ ― る　ほ ― し　は ―
2. サーィレン(ト) ナーイ(ト) ホ ― リ ナーイ(ト) オール イズ カー(ム)

ひ ― か り ― 　す ― く　い ― の　み ― こ　は ―
オール イズ ブラーイ(ト) ラウンドヨン バ ― ジン マー ザアンド チャーイルド

み ― は　は ― の　む ― ね　に ― 　ね ― む　り ― た
ホ ― リ　イン ファンソー テンーダアン(ド) マーイルド スリー ピン ヘーブンリ

も ― 　う ― 　ゆ ― め　や ― す　く ― 　 ―
ピ ― 　イー(ス) スリー ピン ヘーブンリ ピ ― 　イー(ス)
p

サーィレント ナーイト ホーリー ナーイト
Silent night, holy night!
オール イズ カーム オール イズ ブラーイト
All is calm, all is bright.
ラウンド ヨン バージン マー ザ アンド チャーイルド
Round yon Virgin, Mother and Child.
ホーリ インファン ソー テンーダ アンド マーイルド
Holy infant so, tender and mild,

スリー ピン ヘーブンリ ピース
Sleep in heavenly peace,
スリー ピン ヘーブンリ ピース
Sleep in heavenly peace.

34

れんだん

46. アヴィニョンの橋のうえで
Sur le pont d' Avignon

 ＊YouTubeの音楽では、2番と3番、3番と4番の間に4拍のカウントがあります。

Allegro
♩=104-160

ふらんすごのうた

1. はしのーうえでー おどろよ おどろよ はしのーうえでー わになって おどろー
2. スュール ポン ダヴィニョン オンニ ダンス オンニ ダンス スュール ポン ダヴィニョン オンニダンス トゥータンロン

ハちょうちょう

3. はしのー うえ でー おどろよ おどろよ はしのー うえ でー わになって おどろー

トちょうちょう

4. スュール ポン ダヴィニョン オンニ ダンス オンニ ダンス スュール ポン ダヴィニョン オンニ ダンス トゥータンロン
Sur le pont d'Avi-gnon, L'on y dan-se, l'on y dan-se, Sur le pont d'A vi-gnon, L'on y dan-se tout en rond.

へちょうちょう

35

STEP 4

ステップ

1）親指の移動
おやゆび　いどう

親指の使い方を
おやゆび　つか　かた
先生に聞いてみ
せんせい　き
ましょう

47.れんしゅう

先生へ

① 〈親指の移動〉は、親指を曲げ、手首は軽く持ち上げながら手の下をくぐらせます。(写真)

② (1)と(2)の練習で、2小節目1の指の付点2分音符 (♩.) で手は正面の位置に戻ります。2341の
指でも練習してください。

(3)と(4)の練習で、3の指で手は正面の位置に戻ります。1432の指でも練習してください。

2）ハちょうちょうのおんかい

指使いをおぼえましょう

48. たいわ

♩=80-92

49. せんす

Moderato
♩=84-92

先生へ

「指使いをおぼえましょう」で、生徒は片手ずつ「ドー、レー、ミー」とゆっくり歌いながら弾き、昇って、降ります。上昇と下降の指使いは同じです。次に、両手で弾いてみましょう。

3）8分音符　$\frac{2}{4}$、$\frac{3}{4}$、$\frac{4}{4}$ 拍子

手で拍子をたたいてみましょう

＊（1）〜（3）の2／4拍子を、4分音符（♩）ごとに手をたたきながら、タータタ等と歌います。

♩＝♪♪♪♪
8ぶおんぷ

♩=60

（1）

ター　タタ　ター　タタ　ター　タタ　ター　ター

（2）
タタ　ター　タタ　ター　タタ　ター　ター　ター

（3）

タタタタ　ター　ター　タタタタ　ター　ター

50. 思い出
Long Long Ago（ロング　ロング　アゴゥ）

YouTube

Andantino

♩=60-80

えいごのうた

mf かー　きに　あー　かい　はー　なさ　くー　long　long a-（ロング　ロング ア）

-go（ゴゥ）　long　long a-go（ロング　ロング ア　ゴゥ）　ゆー　めに　かー　える

そー　のに　わー　はー　るか　なー　むか　しー　でー　すー

51. こもりうた

Andante

バウムフェルダー
(1836～1916)

52. おもさくらべ

おもさくら　べ　してみましょ　う　だれ　が　いちばん　おも　　　いー

おもさくら　べ　してみましょ　う　だれ　が　いちばん　かる　いー

○に記号を入れてみましょう

p < ⃝ < mf < f

39

4）3音の和音

53. れんしゅう

＊YouTubeの音楽のメロディーに合わせてばんそうのようにひきましょう。

40

レパートリー

レパートリー

57. こどものうた

Adagio
♩=56–66

バルトーク
(1881～1945)

58. アルプスいちまんじゃく

Allegro
♩=120−160

YouTube

59. 山の音楽家

れんだん

*3回くりかえす

45

STEP 5 1）平行調 ハちょうちょうとイたんちょう

平行調の音階について先生に聞いてみましょう

ハちょうちょうとイたんちょうの音階を片手ずつひいてみましょう

60. トルコ行進曲

Allegretto (♩=68〜92)

ベートーヴェン
（1770〜1827）

16ぶおんぷ

先生へ

①〈平行調〉とは同じ調号を持つ調の関係で、長調と短3度下の音が主音となる短調の組み合わせです。

②「60. トルコ行進曲」7小節目2拍目はイ短調の借用和音です。

アルペジオ

ドミソドの音を片手ずつひいてみましょう

61. さんぽ

陽気に ♩=80−100

ハちょうちょう

Fine

D.C.

62. 愛のロマンス

スペインみんよう

Andante しずかに ♩=60−72

イたんちょう

3れんおんぷ

先生へ

〈アルペジオ〉とは、和音を構成する音を１音ずつ低いものから順番に弾いていくことです。

47

2）平行調 トちょうちょうとホたんちょう

トちょうちょうとホたんちょうの音階を片手ずつひいてみましょう

二つの2拍子 $\frac{2}{4}$、$\frac{6}{8}$

63. れんしゅう

(1)
トちょうちょう

(2)
トちょうちょう

64. シーソー

トちょうちょう

先生へ

①「63. れんしゅう」(1)(2)はどちらも2拍子です。

(1) $\frac{2}{4}$拍子は、8分音符2つを4分音符1拍で数えます。

(2) $\frac{6}{8}$拍子は、8分音符3つを付点4分音符1拍で数えます。

②「63. れんしゅう」(2)の練習の仕方は、はじめゆっくりしたテンポで♩♩♩♩と8分音符を6つ数えながら弾きます。次にテンポを上げ、付点4分音符1拍♩.=60の速さで弾きます。

3）平行調 へちょうちょうとニたんちょう

へちょうちょうとニたんちょうの音階を片手ずつひいてみましょう

67. れんしゅう

ペダル

へちょうちょう

68. れんしゅう

シンコペーション

（1）

ニたんちょう

（2）

ニたんちょう

先生へ
①「67. れんしゅう」の〈ペダル〉の練習の仕方は、まずペダルは踏まず左手だけで ♩♪♩♪ の音階を弾きます。
次にペダルを付け、次の音を弾いた後にペダルをふみかえ音をつなげます。両手でも同じように弾い
てみましょう。

②〈シンコペーション〉とは強い拍と弱い拍の位置を通常とは変えて、リズムに変化を与えることです。

69. チロルの歌

Allegretto moderato

ケーラー
(1820〜1886)

へちょうちょう

70. だれも知らない私のなやみ

Adagio ♩=66−84

こくじんれいか

へちょうちょう

71. トルコ行進曲　ピアノソナタ　イ長調　KV331より

モーツァルト
(1756～1791)

72. まほうつかいのでし

P.デュカス
（1865～1935）

Allegretto 神秘的に

速さを表すことば

Adagio	Andante	Andantino
アダージオ	アンダンテ	アンダンティーノ
ゆるやかに	歩くような速さで	アンダンテより少し速く

Moderato	Allegretto	Allegro
モデラート	アレグレット	アレグロ
中ぐらいの速さで	やや速く	速く

下のしかくの中に○をつけてください。

一番おそい
テンポのことばは？

Moderato	Allegretto	Andantino	Adagio	Andante

一番はやい
テンポのことばは？

Andante	Allegro	Moderato	Adagio	Allegretto

Happy Birthday

_____ さんへ

おたんじょう日プレゼントのえをかこう

 かぞくやおともだちにあげたいプレゼントのえをかきましょう。

YouTube曲目（きょくもく）リスト

◆冒頭音楽（ぼうとうおんがく）
◆両手の指番号（りょうて ゆびばんごう） ………………………… 6ページ

□ 歌あり（うた）　☆動画あり
◆ 歌なし

https://www.youtube.com/channel/UCmbuUhuA1vRw-nKMnc3ltOg/videos

ショパンハンナチャンネル 🔍

56

表彰状
ひょう しょう じょう

わたしのピアノ練習帳
れんしゅうちょう

_____ さん

金メダル

大変上手にひけました。
たいへんじょうず

先生 _____   日付 _____
せんせい   ひづけ

著者略歴

すえたかあけみ
末高明美（ピアノ）

　桐朋学園大学音楽学部ピアノ科卒業。パリ・エコール・ノルマル音楽院入学、ディプロマ（教授資格）取得。2002年より俳人小林一茶のふるさと長野県信濃町で「一茶の俳句コンサート」を開始。2010年〜2019年黒姫童話館にてピアノコンサート「森の情景」を開催。CD「水織音MI・O・LI・NE」（レコード芸術準推薦盤）、「フランス音楽と俳句」（レコード芸術準推薦盤）を日仏にて同時発売。近年はフランス音楽を中心にソロ・室内楽コンサートを数多く行っている。音楽関係の通訳、講座なども行う。2016年〜2019年フランス、ベルギー、イタリア、スイス、フィンランドの音楽院を取材し、月刊「ショパン」に各国の「ピアノ教育の今」を連載。日仏文化協会フランスピアノコンクール審査員を努める。

えいご
ロバートさん

ふらんすご
ジョスリーヌさん

Step1〜Step4　みんなで歌を録音しました。

Step5　みんなで演奏を録画しました。

日本語・英語・フランス語
たのしくうたおう♪ わたしのピアノ練習帳

グレードアップ版

2021年3月28日　初版発行
2021年5月25日　第2版発行

著　　者　末高明美

本文・表紙イラスト　福山敦子

録　　音　福井末憲（N&F）　椎の木ホール 2015年4月12日

録　　画　井澤彩野　（株）ハンナ社 2021年3月20日

発　行　人　井澤彩野

発　　行　株式会社ハンナ
　　　　　〒153-0061
　　　　　東京都目黒区中目黒3-6-4-2F
　　　　　Tel 03-5721-5222　Fax 03-5721-6226
　　　　　http://www.chopin.co.jp/

製作・印刷　株式会社ホッタガクフ